EMANUELE NARDI

Terra di luce

Emanuele Nardi nasce a Siena il 13 maggio 1952.
Dopo aver frequentato il Liceo Scientifico, dal 1982 si era
dedicato alla gestione dell'azienda famigliare "Villa Scacciapensieri".

EMANUELE NARDI

Terra di luce

EDIZIONI CANTAGALLI

Le foto di questa pubblicazione sono state gentilmente fornite
da Michela Nardi che ne è l'unica proprietaria.
La loro riproduzione con qualsiasi mezzo è vietata.

Impaginazione, grafica e stampa:
Edizioni Cantagalli, Siena, Via Massetana Romana, 12
Tel. 0577 42102 - Fax 0577 45363 - e-mail: cantagalli@edizionicantagalli.com

Fotolito:
Master Graphic s.r.l., Siena

Finito di stampare nel giugno 2001

© Edizioni Cantagalli, Siena
    maggio 2001

ISBN 88-8272-077-2

PRESENTAZIONE

La raccolta di fresche immagini di questo volume apre una finestra su uno dei nostri più straordinari paesaggi: le "Crete Senesi" che, con il loro mare di dolci colline, fanno apparire Siena luminosa, serena e immutata nel tempo. La sensazione che prova il viaggiatore è quella di una infinita pace, di uno spazio vasto e sereno; lo sguardo si volge all'orizzonte dove colline e cielo si uniscono in una sottile linea luminosa ed ondulata, e il profilo elegante di Siena, dall'alto delle sue torri, veglia rassicurante in lontananza. La luce gioca con le ombre e i colori, e le Crete restituiscono attimi di poesia fissati dalle immagini di questo volume. Al di là delle dolci colline si celano altri paesaggi affascinanti: i boschi del Chianti inframezzati da vigne e poderi, la verde Montagnola, le valli solcate da fiumi e torrenti che scorrono verso il Tirreno: Farma, Merse, Ombrone, Elsa, Arbia... nomi a cui associamo l'immagine di un ben determinato paesaggio.

A sud la Val d'Orcia, dominata dal cono vulcanico dell'Amiata, la Val di Chiana con i sereni laghi di Chiusi e Montepulciano, e nelle pieghe di questo ambiente altri angoli ancora segreti e nascosti da scoprire o riscoprire.

Nell'ottica di conservare e valorizzare il più possibile il nostro patrimonio ambientale e naturalistico è stato realizzato in provincia di Siena un sistema di Aree Protette, non per porre nuovi vincoli, ma per gestire il territorio facendo convergere i vincoli esistenti sul soddisfacimento della crescente domanda di ambienti naturali e di ecosistemi di cui l'uomo, con la sua secolare fatica, è parte integrante e protagonista.

Le Crete costituiscono, nel vasto affresco del paesaggio senese, uno dei passaggi pittorici più affascinanti, grazie al connubio tra uomo e natura che si sono uniti per dar vita ad un luogo magico in cui lasciare volare il pensiero, oltre lo spazio ed il tempo, per ritrovare in noi il sottile piacere di saperci ancora emozionare.

CLAUDIO GALLETTI
Assessore alle Aree Protette
Provincia di Siena

IL COLORE DELLE EMOZIONI

Molti angoli della struttura urbana di Siena sono rimasti inalterati. In centro strade, vicoli e case sono come 500 anni fa. L'atmosfera è quella di una volta, riaffiorano come un eco lontano, il battito degli zoccoli dei cavalli sul selciato, i rumori delle botteghe. I turisti sciamano irreali ed estranei in questo medioevo con il loro brusio che rimbalza tra i mattoni e la pietra serena, dietro di loro si ricompone il silenzio, rotto solo dal carosello chiassoso e allegro dei rondoni sui tetti inondati di luce. Allontanandosi dal centro, ci troviamo improvvisamente immersi nel recente, caotico e trafficato tessuto urbano che, come un nuovo frangiflutti, taglia il mare di colline del Chianti e delle Crete dalla città.

Sono sulla terrazza di Villa Scacciapensieri; è passato molto, molto tempo da quando dalla strada allora sterrata passava qualche Vespa o qualche rara macchina trascinandosi dietro una scia di polvere. Poi il silenzio. Il Nonno, elegante nel suo frac, sedeva sereno davanti all'Albergo in attesa dei rari clienti che osavano avventurarsi così lontano dal centro. Con i miei due fratelli, Federico ed Emanuele, passavamo qui l'estate, quando la campagna lambiva ancora il parco della Villa. Dai contadini c'erano due vacche bianche, eravamo impressionati dalla loro forza, da come facevano scivolare il "coltro" nella terra, che poi si copriva di grano giallo ed ondeggiante. Il tempo per noi era scandito dai giochi nell'aria e nel sole. Ricordo la polvere della trebbiatrice azionata da una lunga e minacciosa cinghia... La vendemmia, l'odore del mosto e le prime foglie d'autunno segnavano il tempo di tornare a scuola. Lasciavamo la nostra stanzetta affacciata sulla tenue nuvola verde dei tigli, sulle colline luminose, sulle torri eleganti ed affusolate di Siena, chiudendo la porticina bianca con la maniglia d'ottone a custodia dei nostri sogni, con la certezza che quando l'avremmo riaperta tutto sarebbe stato come allora. È passato molto tempo da quando il Nonno, col sorriso sotto ai baffi, ci toccava la pancia, tutti e tre schierati sull'attenti ed emozionati come piccoli soldatini, per sentire se avevamo mangiato abbastanza. E poi via, fuori a fare carretti, casette segrete sugli alberi, zattere per avventurose navigazioni sul fontone, a tentare inutilmente di catturare i pesci rossi della vasca in giardino con una lenza di spago e un amo di fil di ferro.

È passato quasi mezzo secolo da allora e molte cose sono cambiate. Federico costruisce barche vere ed Emanuele non c'è più. La nostra campagna, come è successo ovunque, è diventata periferia, le ville austere appaiono ora cupe, strette tra nuove costruzioni, asfalto ed auto. Non ci sono più le grandi vacche bianche, il pagliaio, la trebbiatrice color minio, con il suo ritmico suono che il fiume di traffico non riuscirà mai a cancellare. Non ci sono più il Nonno elegante ed austero, Lacco, il cane che diventava, nonostante gli acciacchi, complice nei nostri giochi. Non ci sono più l'aratro che scivola lucido tra le zolle, il silenzio degli afosi pomeriggi d'estate, quando dicevo ai miei fratelli di stare zitti altrimenti non avremmo potuto sentire il flauto di Pan, mezzo uomo e mezzo capra, suonare seduto all'ultimo leccio del parco, affacciato sulla distesa abbacinante dei campi. Mi guardo intorno e c'è però ancora adesso, oltre la Basilica dell'Osservanza, verso l'Amiata, quella luce chiara e pulita di una volta, quando, in bici, noi fratelli andavamo ad Asciano sulla strada non ancora asfaltata. Emanuele non c'è più, ma ha lasciato, ben ordinate, moltissime diapositive, immagini di piccoli rassicuranti oggetti familiari, di «zingarate» con pochi e veri amici, di viaggi con la famiglia e centinaia di fotografie di una campagna simile a quella che un tempo accompagnava i nostri giochi, fatta di angoli segreti e di grandi spazi dai contorni ondulati e inondati di colori legati al mutare delle stagioni. È proprio nelle Crete senesi che Emanuele ritrovava l'armonia ed il sapore di un modo di vita e di un mondo che sta scomparendo e di cui lui sentiva di far parte. Prima timidamente, poi con sempre maggiore sicurezza, ha via via affinato la sua tecnica grazie anche all'incontro con il fotografo francese Emmannuel Sailler, nostro amico, mirando alla ricerca paziente della luce giusta, capace di far esprimere al paesaggio quei colori che parlassero alla sua anima. Un mondo senza tempo in uno spazio senza confini, di cui il quotidiano non poteva far parte. Di poche parole, Emanuele esprimeva, spiando nel mirino, il suo amore per questa quiete, la sua nostalgia per un modo di vivere travolto nel giro di pochi anni, sacrificato sull'altare di un malinteso progresso da una società superficiale e frettolosa. Girovagando per le Crete, tornava a riappropriarsi del proprio tempo, scandito dal mutare dei colori con lo scorrere delle stagioni, a meravigliarsi di quanto il paesaggio cambiasse il proprio stato d'animo. Tornava a fotografare il solito cipresso, immobile sulla collina, ma sempre diverso, in una terra bruciata dal sole o nel verde di una nuova primavera o ancora, cupo, danzare al vento in un cielo livido. Man mano che la luce delle Crete svelava il fascino degli angoli dimenticati e riscoperti, lui diventava sempre più parte di esse, silenzioso e discreto in un mare di messi accarezzate dal vento ed inondate da un sole sfacciato. Siena, la sua città, a chiudere rassicurante l'orizzonte con il suo profilo.

L'oculare diventava una finestra in grado di filtrare il bene dal male, di unire il passato al presente, la chiave con cui riaprire la porticina bianca dei suoi sogni e penetrare in un mondo luminoso, dove i ritmi di oggi si dissolvono come fantasmi per lasciare posto ad uno spazio senza tempo nel quale è possibile ridare vita e colori ai ricordi. La spiga non tagliata tra le stoppie, il rosso ribelle di un papavero in un mare di grano o uno straccio di nuvola appeso ad un cielo infinito, erano la sua silenziosa rivalsa su modelli di vita standardizzati che non concedono spazio al tempo più prezioso, quello per noi stessi. I problemi di tutti i giorni, i contrattempi, i piccoli e grandi dispiaceri, la malinconia, si spengono nella luce delle Crete. E Siena, lontana, tornava ad essere l'agognato profilo che salutava i viaggiatori di secoli fa che, lasciata Roma, dopo aver fiancheggiato la cima innevata dell'Amiata e la Rocca di Radicofani, attraverso questo ondulato e spoglio paesaggio interrotto da calanchi e biancane, giungevano infine alla meta.

Alcuni inorridivano di fronte a quella campagna arida e spoglia e non vedevano l'ora di varcare le mura, altri invece ne restavano stupefatti e rapiti. E proprio, da scritti di viaggiatori del '700 e dell'800 sono state tratte molte delle didascalie che accompagnano le immagini di questo libro, scelte non a commento, ma perché vi si riconoscono stati d'animo e sensazioni forse simili a quelle che hanno ispirato le foto. Il piacere dell'esplorazione per Emanuele iniziava con lo studio dei percorsi sulla cartina. Spesso in bicicletta o con l'R4, talvolta con il borbottante Motom 48 rosso perfettamente restaurato, seguiva gli itinerari previsti; montava la sua vecchia Leica sul cavalletto, poi scelglie-

va l'obiettivo giusto senza fretta, godendosi il preciso scatto dell'innesto. La foto non era solo il fine, ma anche l'occasione per ritrovare ritmi e movenze naturali; il rumore leggero delle ghiere degli obiettivi, l'accurato posizionamento del cavalletto, la vecchia auto, il Motom, divenivano passaggi di una movenza rituale. Non aveva bisogno di inseguire l'immagine, la luce giusta sarebbe prima o poi arrivata ad illuminare il paesaggio che aveva di fronte. Aspettava. Il mirino diventava una finestra sul suo caleidoscopio di colori: niente primi piani aggressivi a mani e volti, solo poche persone che solcano l'immagine in punta di piedi, il rosso dei papaveri, e il verde intenso della primavera, ma soprattutto molto giallo dei girasoli e delle stoppie, il suo colore preferito. E poi il cielo livido o azzurro sui campi di grano, tagliato da nuvole che sembrano correre verso nuovi e sconosciuti orizzonti.

Una volta l'ho visto da lontano, fermo accanto al motorino sul ciglio di una stradina bianca, attendere con calma la luce giusta per poter scattare. Tranquillo e discreto, faceva parte del paesaggio muovendosi con la gentilezza di chi si trova in un luogo magico. E la luce giusta arrivava, fissata sulla pellicola da uno scatto irripetibile, un frammento del suo mondo sottratto al tempo.

Lo rivedo spesso così, fermo nella luce calda del tramonto, sereno nella paziente attesa. Prima di lasciarci, la sua mente volava forse sulle biancane di Leonina, su Monte Oliveto che, austero, galleggiava sulla nebbia... "Chissà se hanno arato attorno al cipresso!... Sarebbe bello riuscire a fotografare la vecchia locomotiva a vapore mentre esce sbuffando dalla galleria... Peccato che non ho iniziato prima a fare le foto, avrei potuto riprendere Armando che falciava con le due vacche bianche, e i volti dei pranzi della trebbiatura, e Tilde che faceva il pane..." Gli avevo preparato un nastro da ascoltare: "...quando ti rimetti facciamo il libro sulle Crete...tutti dicono che le tue foto sono bellissime...". Il nastro è sempre qui con me.

Non ho avuto il tempo di consegnarglielo. Mi sono rimaste le sue foto e la promessa fattagli. Impossibile aggiungere qualcosa, modificare o integrare. Posso solo tentare di scegliere quelle che avrebbe scelto lui, per non tradire la sua magica finestra sul mondo.

RICCARDO NARDI

TERRA DI LUCE

"Terra di luce": una formula abbagliante che evoca la trasformazione della materia opaca in paesaggio interiore, in stati d'animo che variamente connotano la realtà circostante, come anche rilevava il Lusini in un articolo apparso nella rivista senese "Diana" nei primi anni Trenta: *"La tristezza riposata del paesaggio senese, può avere per l'anima del sentimentale attento e del viandante tranquillo una musica di desideri che non si fermano e non si esprimono con le abituali parole di tutte le consuetudini. Lo scenario del nostro paesaggio, quale appare oggi a chi, per ventura o per amore lo attraversi, ha piuttosto l'aspetto triste e gaio, fiorito e desolato di un chiaro terreno di memorie, di rovine, di estasi abbandonate. Qua e là per la nostra campagna multiforme e varia ogni cosa quasi ci afferra e ci vorrebbe trattenere; ma la velocità moderna del nostro cammino non ha più tempo di disprigionare il profumo dei pendii ben pettinati dall'aratro, delle spianate interrotte di monticelli e incrinature, delle dimesse costruzioni ancora solide, nelle quali pur grande è il volto dell'ignoto".* Questo brano di intenso afflato lirico sembra quasi emblematico dello stato d'animo che attraversa l'opera fotografica di Emanuele Nardi, così affascinato dalle bellezze del paesaggio senese, così sensibile alle magie delle Crete, quel *"paesaggio scheletrico, privo di vegetazione, striato da monticelli chiari di luce pallida e spaccature profonde, con qualche breve alberello chiomato. In queste zone i cespugli, i prati, le coltivazioni dell'uomo, hanno avuto quasi il timore di giungere fino ai cocuzzoli ammassati, in marea che sale, verso lo sfondo del cielo"* (A. Lusini).

Nella successione delle immagini fotografiche si assiste quasi ad una cristallizzazione dell'attimo fugace, dell'emozione coinvolgente e fragile così sottratta al tempo che tutto divora sino a far dimenticare la contingenza d'uno stato d'animo che attribuiamo ad ogni essere umano e che tuttavia risulta da condizionamenti culturali e psicologici. Ben lo evidenziava il Lusini affermando che *"il paesaggio delle nostre crete talvolta ci turba e a momenti ci rasserena della nostra mestizia, a seconda della sensibilità più o meno squisita e pronta della nostra intima natura e del diverso gusto di godimento. Ma nei giorni più grigi e minacciosi, il color piombo che su di esso si adagia ci dà una sottile tetrezza d'animo ... che nessun altro lembo di campagna comune può imporci con uguale contagio. Qua e là, la visione di questo scenario nudo, è interrotta dal fido cipressetto che accompagna la desolazione del paesaggio, pur così suggestivo per chi sappia intenderlo e interpretarlo nelle carezze del pensiero".*

Conoscevo Emanuele Nardi da molti anni ma, anche per una certa differenza di età, i rapporti amichevoli erano rimasti confinati all'interno di ritmi abitudinari e non molto approfonditi. L'amicizia vera e propria è nata quando, casualmente ed in ritardo, è sorta in me la passione per la bicicletta e per le inimmaginabili avventure e scoperte che per suo tramite si possono effettuare. È stato Emanuele ad iniziarmi a tale affascinante avventura. Lui così schivo, quasi burbero per chi non lo conosceva, normalmente parco di parole, improvvisamente si animava e nel suo magico laboratorio spiegava come il correre in bicicletta fosse un'arte e solo chi ne possedesse i segreti fosse in grado di trarne tutte le gratificazioni. Rimanevo incantato quando mi raccontava delle sue avventure, delle salite impervie e durissime, delle difficoltà che aveva superato. Escursionista provetto, aveva affrontato le montagne anche nel periodo più arduo quando, nonostante tutte le precauzioni, ci si può trovare in situazioni rischiose. Una volta, di notte, si smarrì tra le giogaie innevate del Pratomagno, e solo a fatica e dopo molte ore di cammino ritrovò la località di partenza. Non si trattava per lui di dar sfogo al gusto del rischio in quanto tale, quanto piuttosto del desiderio di realizzare un impatto genuino con la natura quando assumeva una configurazione inedita ed ammaliante; non era insomma estraneo a quella esperienza del sublime (l'infinita forza e l'infinita grandezza della natura) che tanto aveva coinvolto ed appassionato i Romantici, quasi vicenda risolutiva nella quale l'uomo poteva in via sperimentale cogliere la sua fragilità e contemporaneamente la sua grandezza interiore.

Solo più tardi ed occasionalmente sono venuto a conoscenza della passione di Emanuele per la fotografia e della sua raffinata perizia in questo settore. Ho avuto così la possibilità di ammirare l'atmosfera rarefatta e incantata di certi straordinari notturni nelle montagne innevate, panorami aperti che si scorgevano dalle sommità delle vette, i colori smaglianti di un fiore o il verde cangiante di una foglia. Ecco: il fascino per l'infinito, per ciò che sembra dilatare la nostra personalità al di là di ogni limite, si accompagnava all'attenzione per le cose apparentemente piccole e banali, che in realtà non lo sono se non per lo sguardo opaco di chi non sa cogliere anche nel più piccolo essere le meraviglie di tutto l'universo, quasi concentrate in un punto: *"Tutto, nel mondo, è ricolmo di segni, e saggio è colui che sappia apprendere l'una cosa dall'altra"* (Plotino).

Il suo viaggio non è stato solo un cammino esteriore, è stato un modo di ritrovare se stesso secondo modalità messe a punto, pochi lo sanno, tra la fine dell'Ottocento ed i primi del nuovo secolo, quando venne realizzata la bicicletta. Improvvisamente per i giovani più ardimentosi si aprirono possibilità inedite ed affascinanti che allargavano in maniera indefinita l'angusto ambito di esistenza. Sembrò quasi di assistere ad una nuova epopea di cavalieri medievali che si lanciavano entusiasti con il nuovo, strano destriero alla scoperta del mondo e della vita. A tale atmosfera non furono estranei letterati ed artisti famosi come il nostro Tozzi o lo scrittore Oriani che ci ha lasciato un resoconto quanto mai avvincente delle sue peregrinazioni nell'Italia centrale e nella Toscana.

Nei resoconti letterari le visioni paesaggistiche si traducono in stati d'animo, in variegate emozioni per cui, per una sorta di meccanismo proiettivo, la natura viene ad acquisire tutta la pregnanza della condizione umana. Quello che gli scrittori hanno conseguito tramite le loro specifiche competenze,

Emanuele lo ha ricercato attraverso l'arte della fotografia, quando cercava di fissare le emozioni o quella sorta di incantesimo in cui si cade allorché, tra i tornanti di una faticosa salita, appare improvvisa una visione che ci lascia stupefatti ed ammaliati...

Mi diceva Emanuele che il suo viaggiare era come scandito da tale ricerca di esperienze affascinanti e fragili che, fissate nella macchina fotografica, venivano in qualche modo a perdere la loro caducità.

Dal vasto archivio delle foto che ha lasciato è stato prescelto l'insieme dedicato alle Crete senesi: "Terra di luce", luogo magico ed epifanico che mostra tutto il suo incanto solo dopo lunga e pacata frequentazione.

Nel trascorrere delle stagioni cambiano i colori, varia l'atmosfera, ma rimane sempre quell'aura magica che induce nell'assorto spettatore quasi un sentimento panico della vita: dal marrone autunnale in tutte le sue sfumature, al tripudio del verde nella primavera, dallo scintillio dell'aria sospesa nelle assolate giornate estive, alle terse giornate invernali, quando all'orizzonte appaiono le cime innevate e fulgenti delle montagne. Solo chi si è sottoposto a questa prolungata iniziazione può accedere al fascino di queste terre, all'atmosfera strana ed avvolgente che ne qualifica le vicende.

Sono attimi di felicità che vorremmo prolungare all'infinito e che, inevitabilmente, si accompagnano alla malinconia dei momenti belli e tuttavia fragili e transeunti della vita. A questa compresenza di eterno e di caduco non rimane estranea la fragile pellicola nella quale si è come cristallizzata l'emozione provata dinanzi ad un paesaggio. Affermava Proust: *"Una somiglianza fra l'amore e la morte, più di quelle troppo vaghe che si ripetono sempre, è di farci indagare più a fondo il mistero della personalità per paura che la sua realtà si dissolva"*.

Personalità che ci sta così profondamente a cuore e verso la cui conservazione siamo incessantemente protesi, ma che di continuo sembra quasi svanire e dissolversi nel nulla se è pur vero che le emozioni più forti e coinvolgenti del presente verranno meno nel passare del tempo, come con trepidazione notava ancora Proust: *"Il timore di un futuro in cui ci saranno tolte la vista e il colloquio con coloro che amiamo e dai quali traiamo oggi la nostra gioia più cara, quel timore, lungi dal dissiparsi, si accresce se al dolore di una simile privazione pensiamo che si aggiungerà ciò che al presente sembra ancor più crudele: non sentirla come un dolore, restarle indifferenti; perché allora il nostro io sarebbe cambiato... il nostro affetto per loro ci sarebbe stato così perfettamente strappato dal cuore, di cui è oggi parte notevole, che potremmo compiacerci di quella vita separata da loro il cui pensiero oggi ci fa orrore; sarebbe dunque una vera morte di noi stessi, morte seguita, è vero, da resurrezione, ma di un io diverso, al cui amore non possono innalzarsi le parti dell'antico io condannate a morire"*.

Questa raccolta di immagini viene a significare l'adempimento di un desiderio che, almeno implicitamente, ci sembra di cogliere nello sfondo delle varie esperienze fotografiche di Emanuele. È anche un modo per rimanere fedeli all'amicizia, per conservare certe emozioni avvolgenti delle Crete, "Terra di luce", quando *"tutto è trasparente, nessuna oscurità, nessun contrasto; ma ognuno è manifesto a tutti sin nel suo intimo e in ogni campo: giacché la luce è trasparente alla luce"* (Plotino).

IL PAESAGGIO COME STATO D'ANIMO

Tra Settecento e Ottocento si viene imponendo la moda del viaggio in Italia. È una sorta di esperienza indispensabile per raffinare la personalità nella frequentazione di una terra privilegiata in cui natura ed arte hanno offerto in mirabile simbiosi le manifestazioni più coinvolgenti ed affascinanti.

Di tale evento dello spirito è stato protagonista avvincente Goethe.

Nel suo "Italienische Reise" la miriade di osservazioni si coagula intorno ad una serie di tematiche scandagliate nei loro riflessi esistenziali: il significato ed il ruolo delle bellezze naturali ed artistiche, il rapporto fra natura e cultura, il paesaggio come stato d'animo caratterizzante e significativo, a livello sia individuale che collettivo.

Lo scrittore tedesco coglie con nettezza la *"singolare complicazione della natura umana"* nella quale convivono il possibile e l'impossibile, ciò che affascina e ciò che ripugna.

Proprio da tale consapevolezza scaturisce l'esigenza della *bildung*, ossia di quel processo di educazione e formazione della personalità di cui nulla gli *"stava più a cuore"*.

Nella costituzione e nel raffinamento della personalità, l'esperienza del viaggio diviene il momento privilegiato per giungere alla conoscenza di se stessi, purché venga effettuata in condizione di libertà interiore, priva del nefasto egocentrismo di coloro che sono andati nel mondo intero *"senza veder niente oltre la punta del proprio naso"*, difatti *"un uomo in generale non va considerato se non come una appendice di tutti gli altri, e questa massima calza soprattutto ai viaggiatori e ai libri di viaggio"*.

Se la vita di ogni giorno induce a banalizzare tutto nell'ovvietà del quotidiano *"l'occhio, mediante il lavoro dell'artista, si addestra a poco a poco e si affina in modo che diventiamo sempre più sensibili anche agli spettacoli della natura e sempre più disposti alle bellezze che essa ci offre"*.

L'Italia, nel resoconto goethiano, appare il luogo epifanico in cui natura e cultura, natura e storia si sono armoniosamente intrecciate, offrendo al viaggiatore esperienze che lasciano nell'animo commosso e stupefatto un'orma indelebile.

"In un paese in cui durante il giorno si gode, ma specialmente durante la sera si prova gioia di vivere, è di una singolare importanza il cader della notte".

Con tale rilievo, nelle pagine iniziali dei suoi ricordi, Goethe documenta il particolare significato della notte nell'immaginario mediterraneo: mentre nei paesi del nord persevera la concezione medievale della notte come "*tempus sine tempore*", in cui la vita si attenua sin quasi a scomparire.

In Italia essa appare come il momento privilegiato in cui la natura palesa il suo incanto ammaliante e l'uomo, affascinato e coinvolto, sperimenta le vibrazioni emotive più raffinate ed esaltanti. *"Il giorno è bello, ma la notte è sublime"*.

In tale coinciso aforisma si compendia il travaglio secolare della sensibilità che nella analisi goethiana perviene all'apice delle sue possibilità fino a configurarsi come una vera e propria cifra della sensibilità romantica.

Quasi in una sorta di crescendo "Italienische Reise" rivela nelle pagine una trasformazione progressiva che trova nel viaggio il suo adempimento.

"La mia partenza da Roma doveva esser preceduta da un avvenimento particolarmente solenne: per tre volte consecutive brillò nel cielo più terso la luna piena. L'incanto magico, diffuso sulla immensa città mi fece in quelle notti una impressione profonda. Le enormi masse vivamente rischiarate come da una dolce luce divina, col loro netto contrasto di ombra, illuminate qua e là dal riflesso a maggior rilievo dei particolari, sembravano trasportare in un altro mondo, più semplice e più vasto..... Le grandi masse producono sempre una impressione singolare, avendo qualche cosa di sublime e di afferrabile nel tempo stesso. In quelle passeggiate notturne ho tirato in certo qual modo l'incalcolabile summa summarum di tutte le mie dimore nell'Urbe eterna...

Goethe conclude il suo viaggio con le parole di Catullo:

"Cum repeto noctem, qua tot mihi cara reliqui
Labitur ex oculis nunc quoque gutta meis:
Jamque quiescebant voces hominumque canumque,
Lunaque nocturnos alta regebat equos".

Il viaggio nello spazio diviene così viaggio nel tempo e, mentre nelle fasi iniziali e nel suo decorso si configura come una sospensione ed una messa in crisi della identità individuale, alla fine appare come un ritorno ed un recupero *"Non intrapresi questo viaggio meraviglioso per ingannare me stesso, bensì per imparare a conoscere me stesso"*.

ALFREDO FRANCHI

*... ora le giornate sono senza nubi.
Il freddo vento di levante è una
lama di ghiaccio...*

J.A. Baker

... mi lancia incontro la corsa
delle sue colline...

M. Luzi

... dal tardo autunno a primavera declivi
e seminativi si vestono di un tappeto di
erbe, grano e foraggio...

A. Sestini

... la luna é senza alcun rapporto
con noi ed eternamente estranea
a ciò che avviene su questa terra.
Essa continua il suo cammino
senza mai prendere parte a niente.

A. Schopenhauer

... ci ritrovammo forniti solo di
biglietti di seconda classe e
fummo stipati in una affollata
vettura. Erano tutti educatissimi.

N. Hawtorne

*... a mezza costa sorge una bella
chiesa e accanto ad essa i refettori,
i portici ed i chiostri dei monaci...*

Pio II

*...passammo per luoghi sempre più
desolati e selvaggi...*

C. Dikens

*Non è sbiadita quella indefinibile
brama che le basse colline a
sud - ovest di Siena mi hanno
sempre istillato...*

V. Lee

*4 settembre 1260. Su queste crete
avvenne la strage dell'esercito
fiorentino.*

A. Lusini

*...il piacere della bicicletta è quello
stesso della libertà...siamo soli
senza nemmeno il contatto con
la terra che le nostre ruote sfiorano
appena...*

A. Oriani

*..sotto l'azzurro feroce dei cieli
estivi brilla talvolta lontano il
solitario miraggio di Siena.*

E. Carli

... il cielo tutto era ricoperto da
grossi nuvoloni nerissimi che
rotolavano per lo spazio senza
però aver contatto con l'orizzonte...

A. Andreucci

*... dopo il tramonto par quasi che
un messale dipinto dagli artisti
senesi, sia stato innalzato tra la
terra e il cielo...*

A. Symons

*...un ambiente collinare, assolato
e sereno, dove ai poderi e ai prati
si alternano vaste estensioni di
macchia e boscaglia.*

F. Pratesi

...campagna purissima e vuota sotto
l'ampia cupola di questo mosso
altipiano circondato da colli...

V. Lee

*... il panorama andava man mano
svanendo fino alla lontana montagna
di S.Fiora...*

A. Andreucci

50

*...catene di colline che l'una
dietro all'altra si succedono...*

C. Pistoj

... la realtà porge alle composizioni
i suoi pretesti in una luce immanente
allo spazio ed alle solitudini del cielo...

C.E. Gadda

*La campagna sanese presenta,
agli occhi del pittore e del filosofo,
il prospetto più bello che la natura
abbia saputo formare.*

C. Pistoj

Qua e là la visione di questo
scenario nudo è interrotta
dal fido cipressetto...

A. Lusini

...la giornata è splendida, non una nuvola oscura il sole...

A. Andreucci

*... cumuli e cocuzzoli bruni con
sulla cima casette rosee...*

A. Soffici

*...verso mezzogiorno un fortissimo
ed impetuosissimo vento da sud
disperdeva in un attimo le nubi
tempestose e in breve il cielo
apparve azzurro ovunque...*

A. Andreucci

... una dolce collina ricca di vigneti
e di pascoli, che produce vino e cacio
di qualità inimitabile...

A. Butler

*... il pelago di dune che oltrepassa
l'Arbia si rompe in un calvario di
dune cenerine...*

M. Luzi

...una nebbia bianca, lattea che in breve coprì tutto il cielo...

A. Andreucci

Siena sorge su un'altura ed
è adorna di molte torri che
ci offrono una veduta della
città molto prima di entrarvi.

J. Addison

...*note violente di amaranto, verde,
vermiglio, secondo la stagione e
l'ora della giornata.*

A. Soffici

*...ma nei giorni più grigi e minacciosi
il color piombo ci da una sottile
tetrezza all'anima...*

A. Lusini

... *in lontananza le colline sembrano*
frangersi come tranquille onde
contro la bianca sponda del cielo...

A. Symons

*... la terra di Siena si presenta
al viaggiatore come un nuovo
paradiso ed una nuova terra...*

Madame Dubocage

...stoppie gialle, assenzio, l'acuità
nera del cipresso nel cielo toscano...

C.E. Gadda

La luce che diffonde il Monte Amiata
quando il sole declina, la folata di
vento che dall'orizzonte s'avvicina.

E. Montale

*La vista delle montagne che si spalanca
all'improvviso davanti a noi ci mette
facilmente in uno stato d'animo grave,
perfino sublime.*

A. Schopenhauer

... la terra senza dolcezza d'alberi...

M. Luzi

Mi ricordo, come se fosse ieri,
la sottile trafittura dell'azzurro
oltremare di quelle colline...

V. Lee

... la calma, la solitudine degli
orizzonti mi attira verso di loro,
per superarli e passare ad altri...

J.A. Baker